Con mi ordenador he descubierto que puedo hablar con mis amigos que viven en otros países del mundo. El dibujo (1) de la ventana general (2) me indica el recorrido que debo seguir para poder ver cada cosa (3) en detalle.

À travers mon ordinateur je me suis aperçu que je pouvais parler avec mes amis qui vivent dans les autres nations du monde. Le dessin (1) de la fenêtre générale (2) montre le parcours à suivre pour explorer en détail chaque élément (3).

Conception: I Dioscuri, Gênes
Illustrations: Barbara Vagnozzi
Rédaction: Diego Meldi, Maria Cristina Carbone,
Andrea Venturini
Revision: Françoise Beguin, Paola Pioli, Lina Carla Bergonzoni,
Ingeborg Donhauser, Thomas Krüger, Wendy Marshall, Theresa Wenzel
Graphisme: Stefano Roffo

ISBN 2 87628 868 0
Imprimé en Italie

Olivier 1B

dictionnaire multilingue

À L'ÉCOLE

DIE MATHEMATIK
die Zahlen von eins bis neun
die Zahlen von neun bis achtzehn
höhere Zahlen
geometrische Figuren

MATHS
numbers from one to nine
numbers from ten to eighteen
higher numbers
geometrical figures

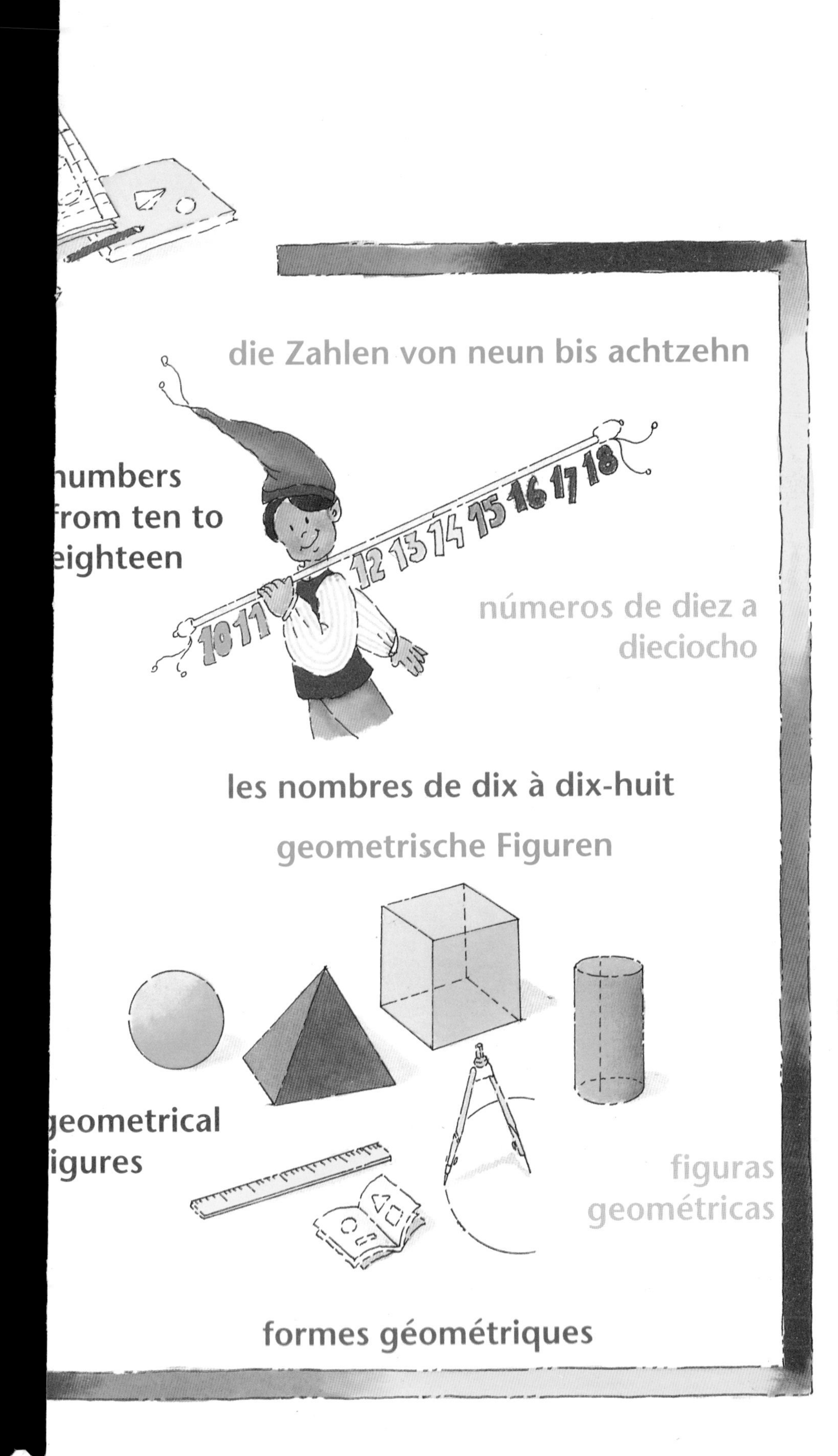

die Zahlen von neun bis achtzehn

numbers from ten to eighteen

números de diez a dieciocho

les nombres de dix à dix-huit

geometrische Figuren

geometrical figures

figuras geométricas

formes géométriques

MATEMÁTICAS
los números de uno a nueve
los números de diez a dieciocho
los números más grandes
figuras geométricas

LES MATHÉMATIQUES
les chiffres de un à neuf
les nombres de dix à dix-huit
les grands nombres
formes géométriques

DIE ZAHLEN VON
EINS BIS NEUN

eins
zwei
drei
vier
fünf
sechs
sieben
acht
neun

NUMBERS FROM
ONE TO NINE

one
two
three
four
five
six
seven
eight
nine

LOS NÚMEROS
DE UNO A NUEVE
uno
dos
tres
cuatro
cinco
seis
siete
ocho
nueve

LES CHIFFRES
DE UN À NEUF
un
deux
trois
quatre
cinq
six
sept
huit
neuf

DIE ZAHLEN
VON ZEHN BIS
ACHTZEHN
zehn
elf
zwölf
dreizehn
vierzehn
fünfzehn
sechzehn
siebzehn
achtzehn

NUMBERS
FROM TEN TO
EIGHTEEN
ten
eleven
twelve
thirteen
fourteen
fifteen
sixteen
seventeen
eighteen

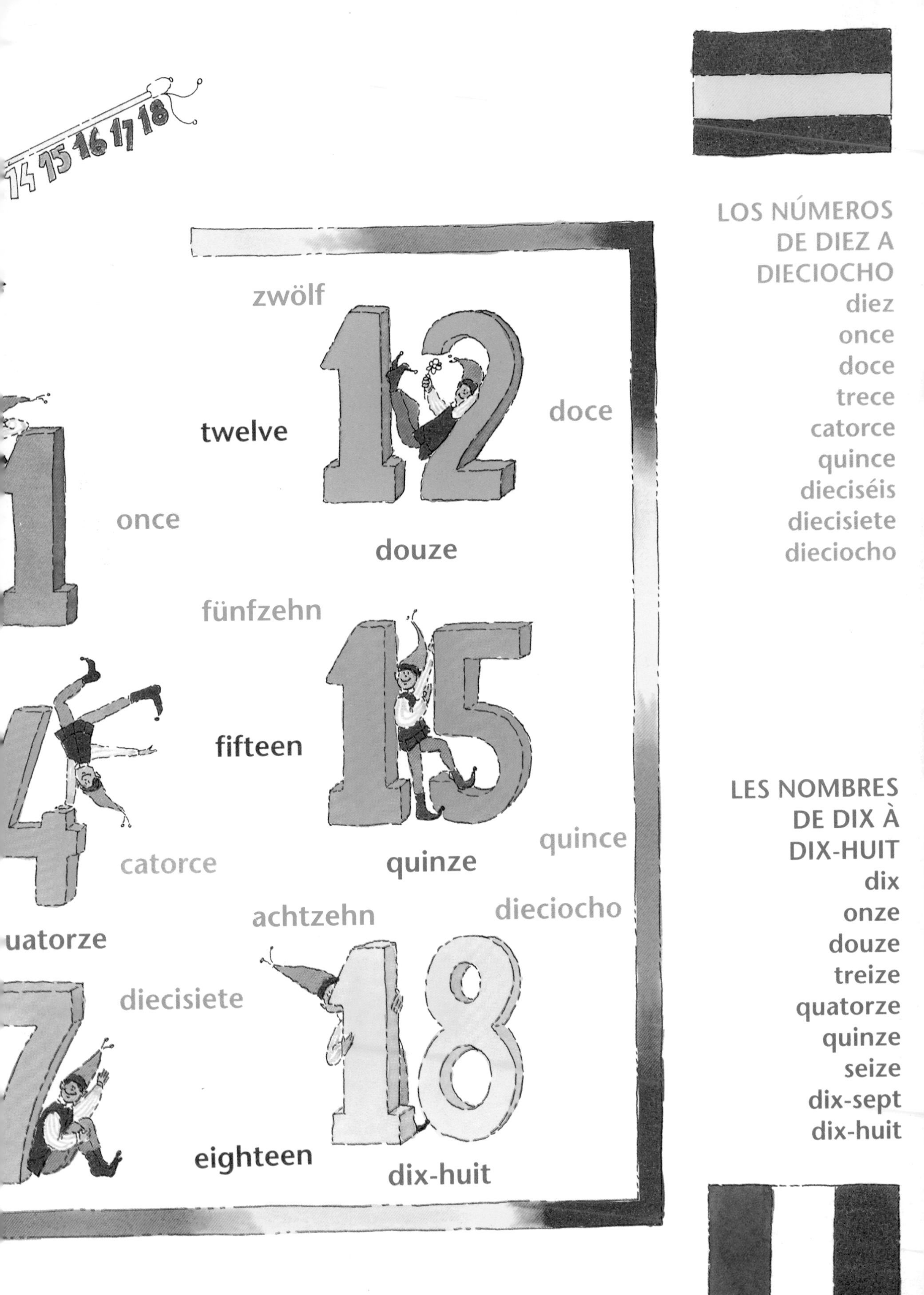

LOS NÚMEROS
DE DIEZ A
DIECIOCHO
diez
once
doce
trece
catorce
quince
dieciséis
diecisiete
dieciocho

LES NOMBRES
DE DIX À
DIX-HUIT
dix
onze
douze
treize
quatorze
quinze
seize
dix-sept
dix-huit

HÖHERE ZAHLEN
zwanzig
dreißig
vierzig
fünfzig
hundert
zweihundert
dreihundert
fünfhundert
tausend

HIGHER NUMBERS
twenty
thirty
forty
fifty
one hundred
two hundred
three hundred
five hundred
one thousand

LOS NÚMEROS MÁS GRANDES
veinte
treinta
cuarenta
cincuenta
cien
doscientos
trescientos
quinientos
mil

LES GRANDS NOMBRES
vingt
trente
quarante
cinquante
cent
deux cents
trois cents
cinq cents
mille

GEOMETRISCHE FIGUREN
das Dreieck
das Quadrat
der Kreis
das Rechteck
die Pyramide
der Würfel
die Kugel
der Quader
der Zylinder

GEOMETRICAL FORMS
triangle
square
circle
rectangle
pyramid
cube
sphere
parallelepiped
cylinder

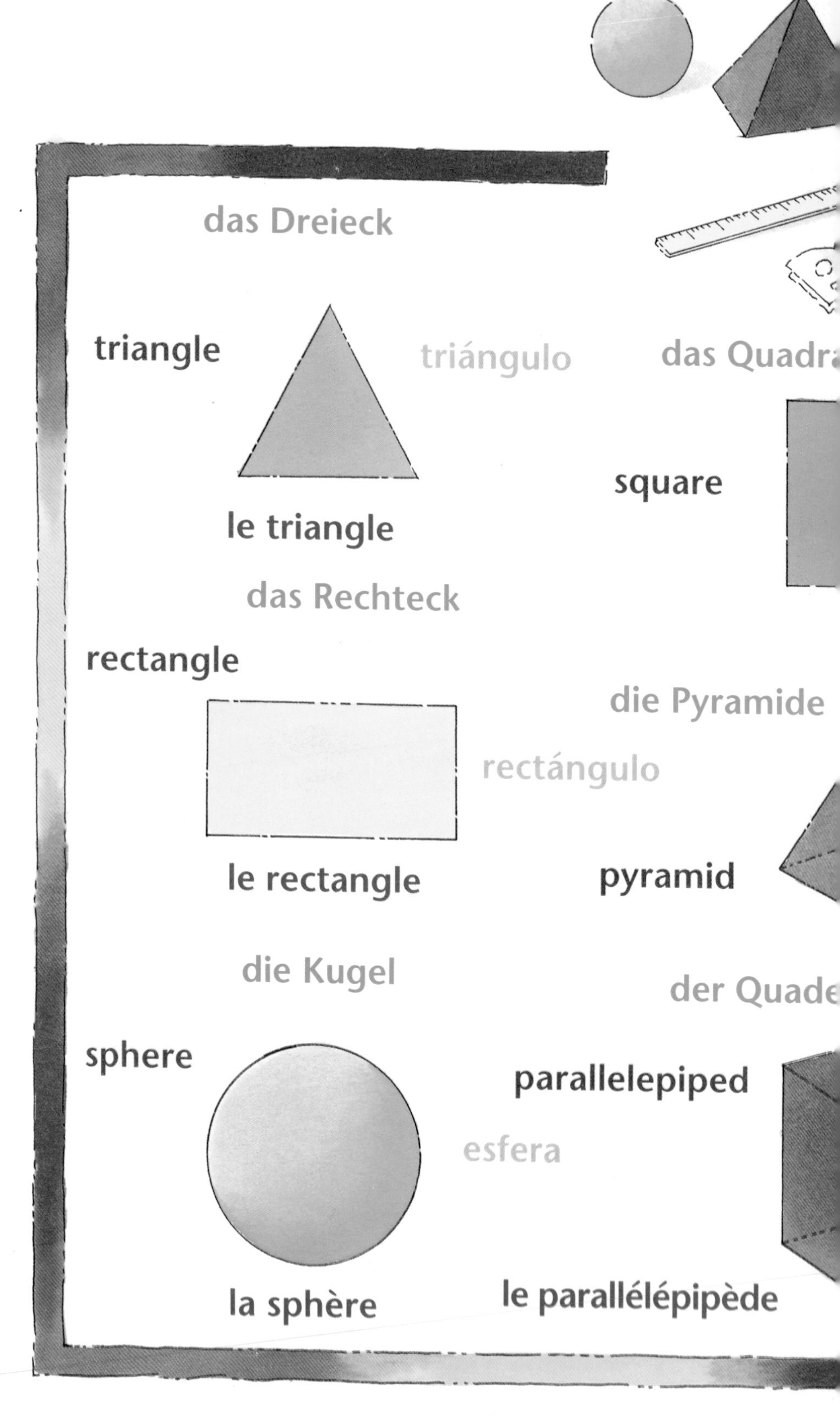

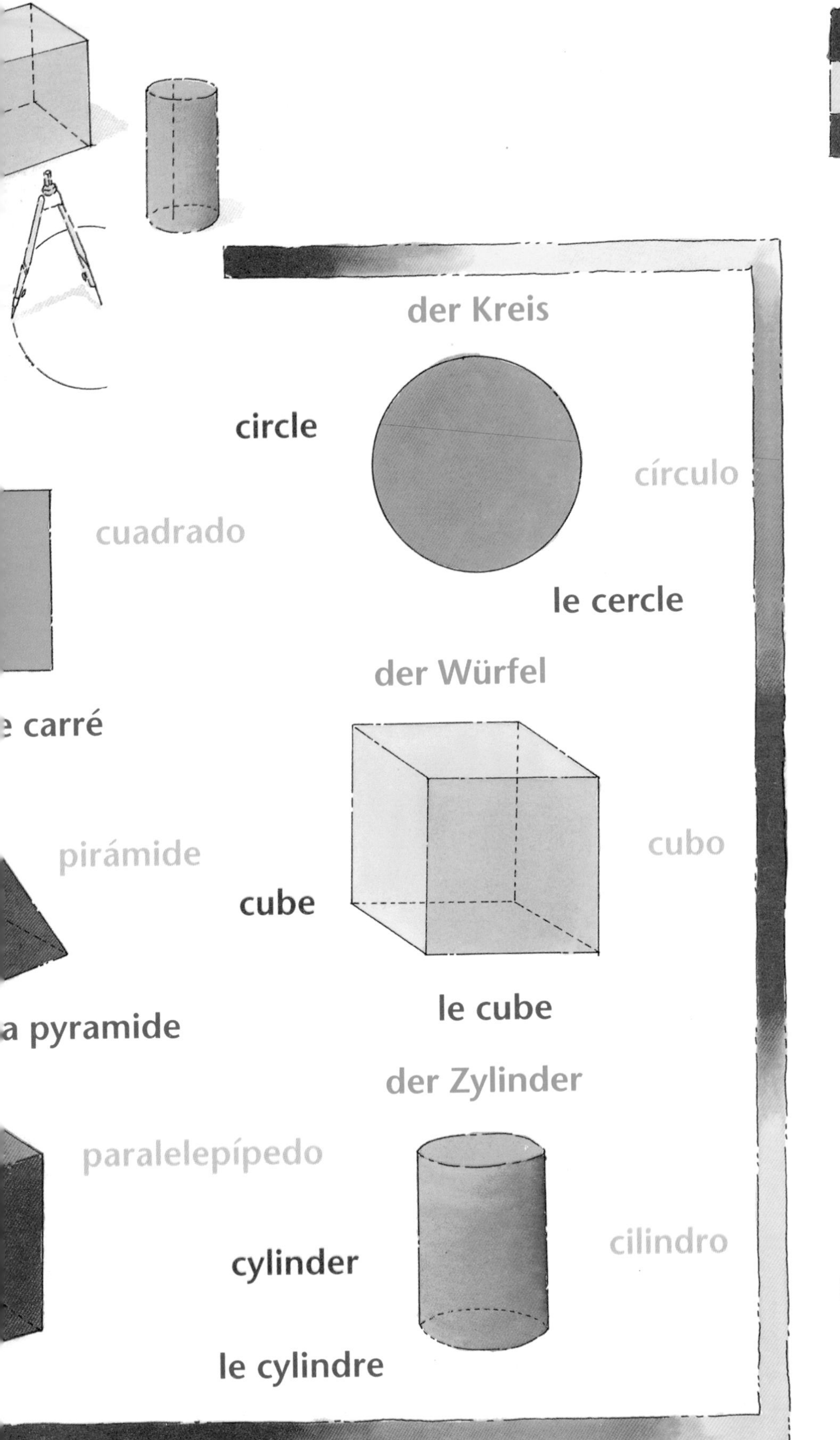

FIGURAS GEOMÉTRICAS
triángulo
cuadrado
círculo
rectángulo
pirámide
cubo
esfera
paralelepípedo
cilindro

LES FORMES GÉOMÉTRIQUES
le triangle
le carré
le cercle
le rectangle
la pyramide
le cube
la sphère
le parallélépipède
le cylindre

DIE NATUR-
WISSENSCHAFT
das Labor
Mineralien
Tiere
Pflanzen

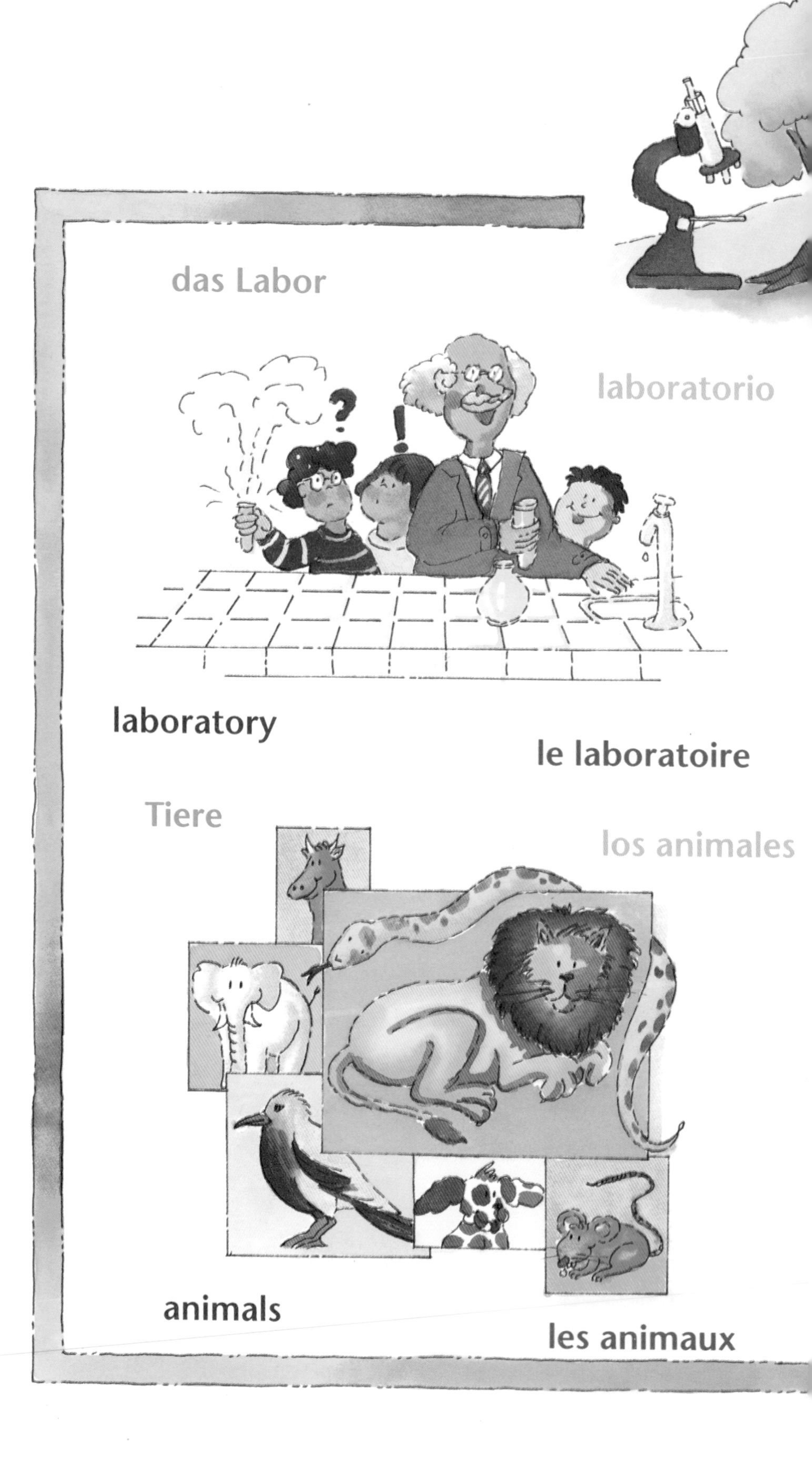

NATURAL
SCIENCES
laboratory
minerals
animals
plants

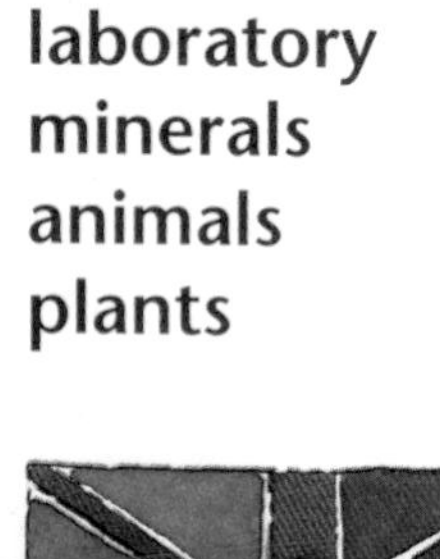

CIENCIAS
NATURALES
laboratorio
los minerales
los animales
las plantas

LES SCIENCES
NATURELLES
le laboratoire
les minéraux
les animaux
les plantes

DAS LABOR
das Mikroskop
das Reagenzglas
die Zange
die Pipette
die Lupe
der Laborkolben
die Schere
die Retorte
das Gift

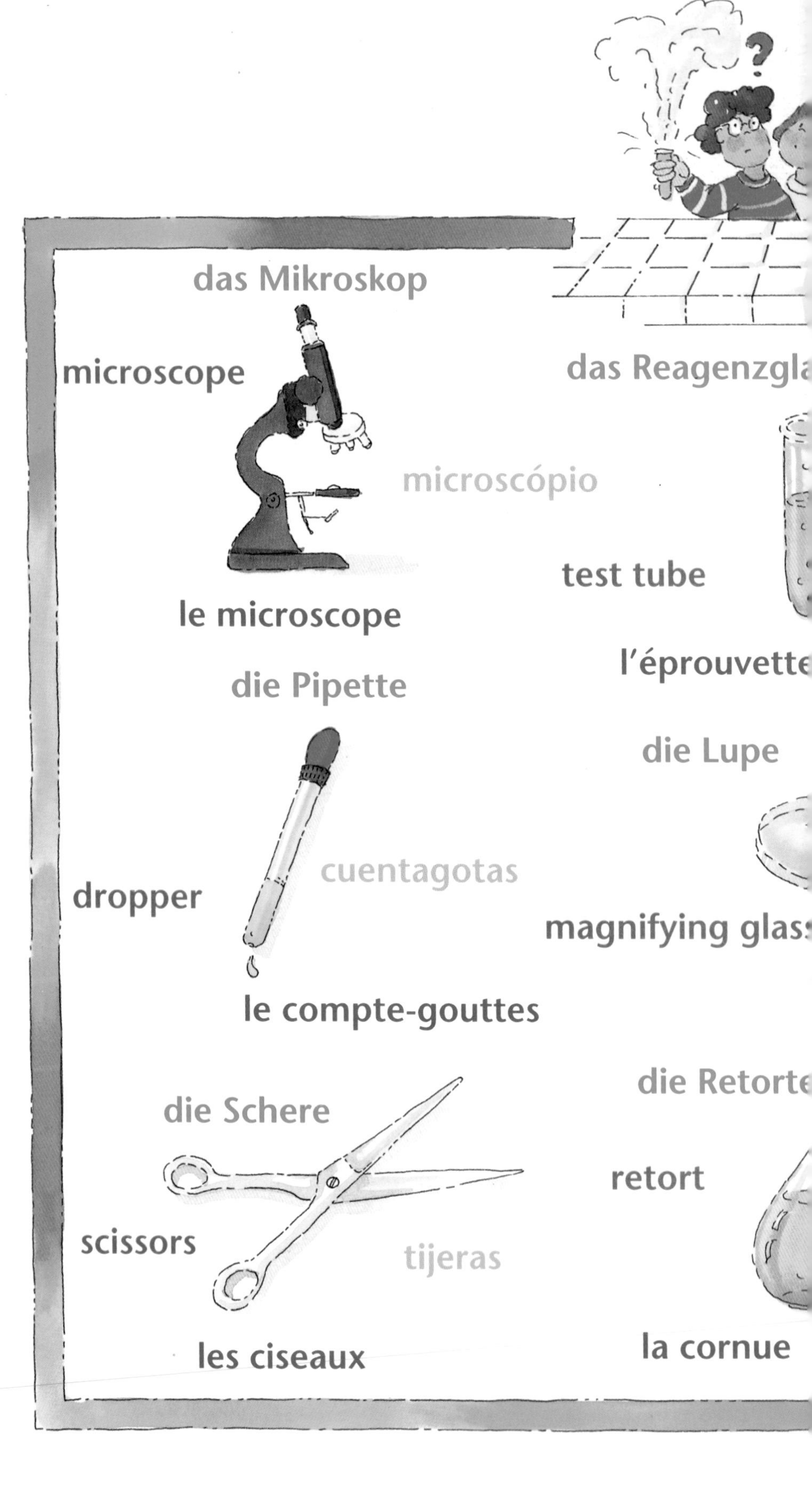

LABORATORY
microscope
test tube
tongs
dropper
magnifying glass
flask
scissors
retort
poison

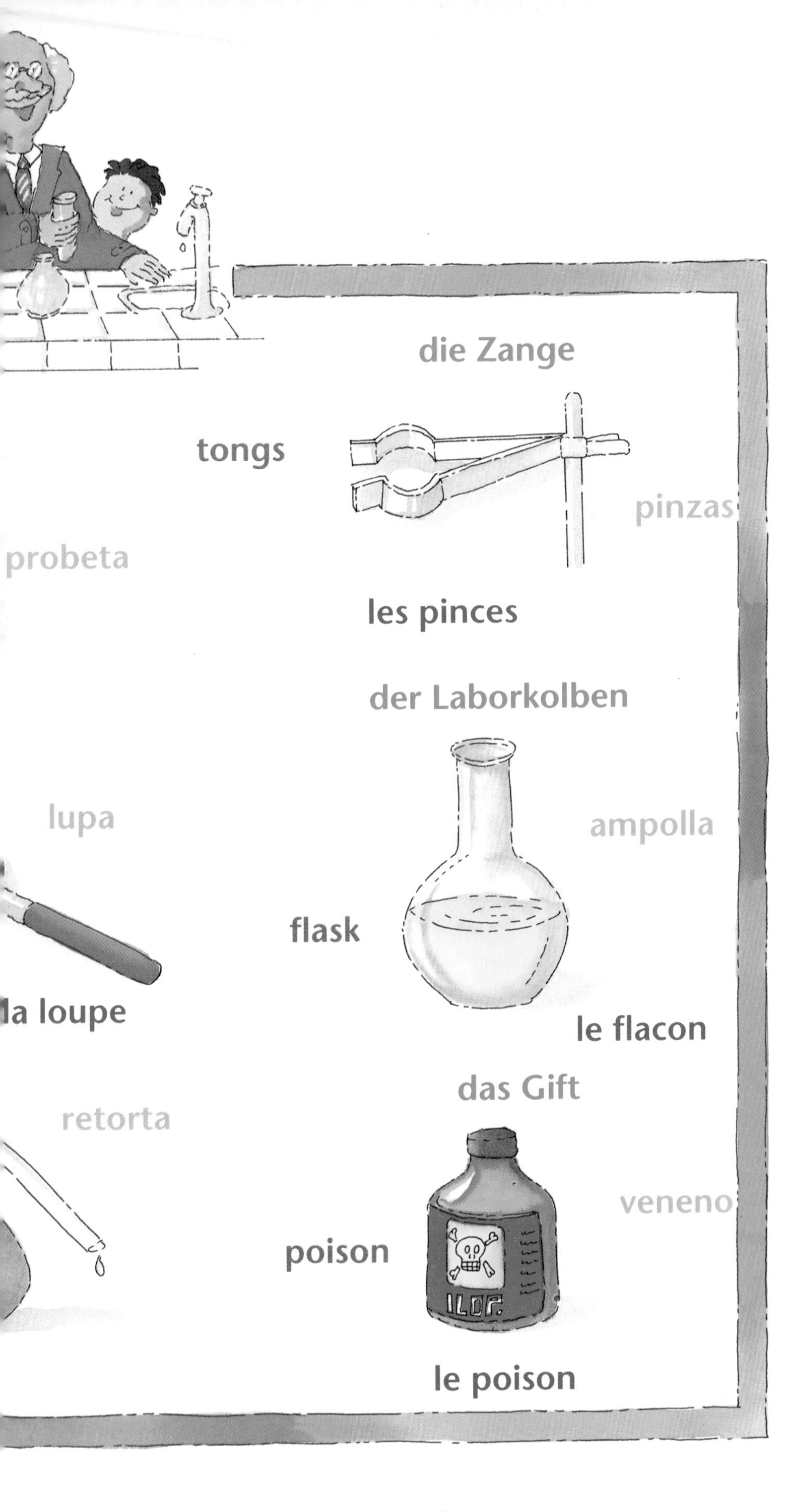

LABORATORIO
microscópio
probeta
pinzas
cuentagotas
lupa
ampolla
tijeras
retorta
veneno

LE LABORATOIRE
le microscope
l'éprouvette
les pinces
le compte-gouttes
la loupe
le flacon
les ciseaux
la cornue
le poison

MINERALIEN
der Saphir
das Gold
das Silber
die Kohle
das Kupfer
der Diamant
der Smaragd
der Rubin
der Quarz

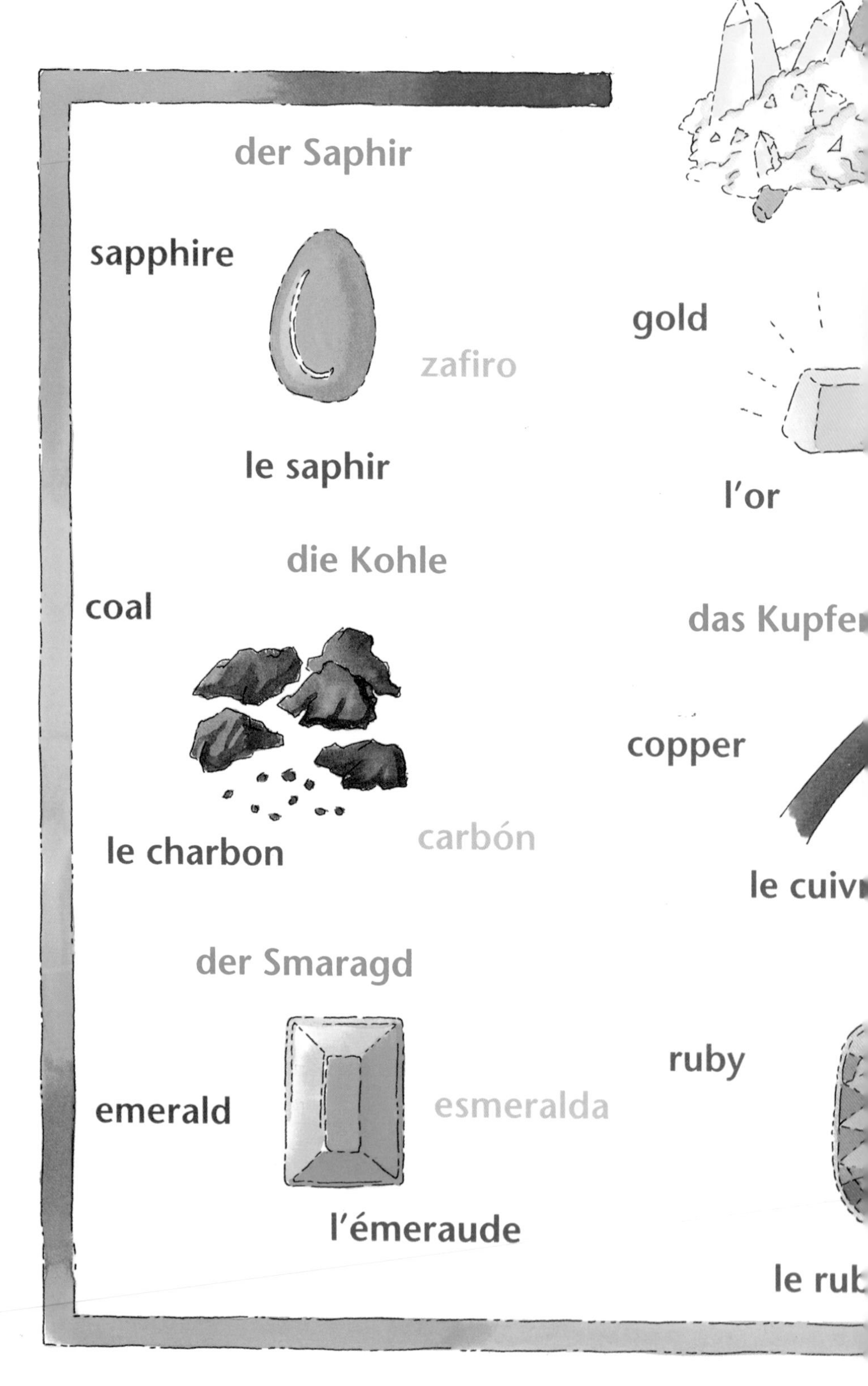

MINERALS
sapphire
gold
silver
coal
copper
diamond
emerald
ruby
quartz

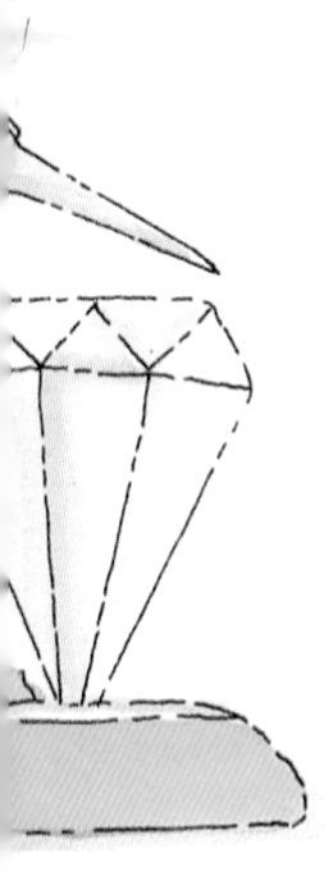

as Gold

oro

cobre

er Rubin

rubí

LOS MINERALES
zafiro
oro
plata
carbón
cobre
diamante
esmeralda
rubí
cuarzo

LES MINÉRAUX
le saphir
l'or
l'argent
le charbon
le cuivre
le diamant
l'émeraude
le rubis
le quartz

TIERE
Tatzen
Hufe
die Mähne
der Schwanz
das Maul
das Fell
der Schnabel
Flügel
die Feder

ANIMALS
paws
hooves
mane
tail
muzzle
fur
bill
wings
feathers

LOS ANIMALES
patas
pezuñas
crin
cola
hocico
piel
pico
alas
plumas

LES ANIMAUX
les pattes
les sabots
la crinière
la queue
le museau
le poil
le bec
les ailes
les plumes

PFLANZEN
der Stamm
die Rinde
der Ast
Wurzeln
die Blume
Blütenblätter
die Frucht
die Knolle
das Blatt

PLANTS
trunk
bark
branch
roots
flower
petals
fruit
bulb
leaf

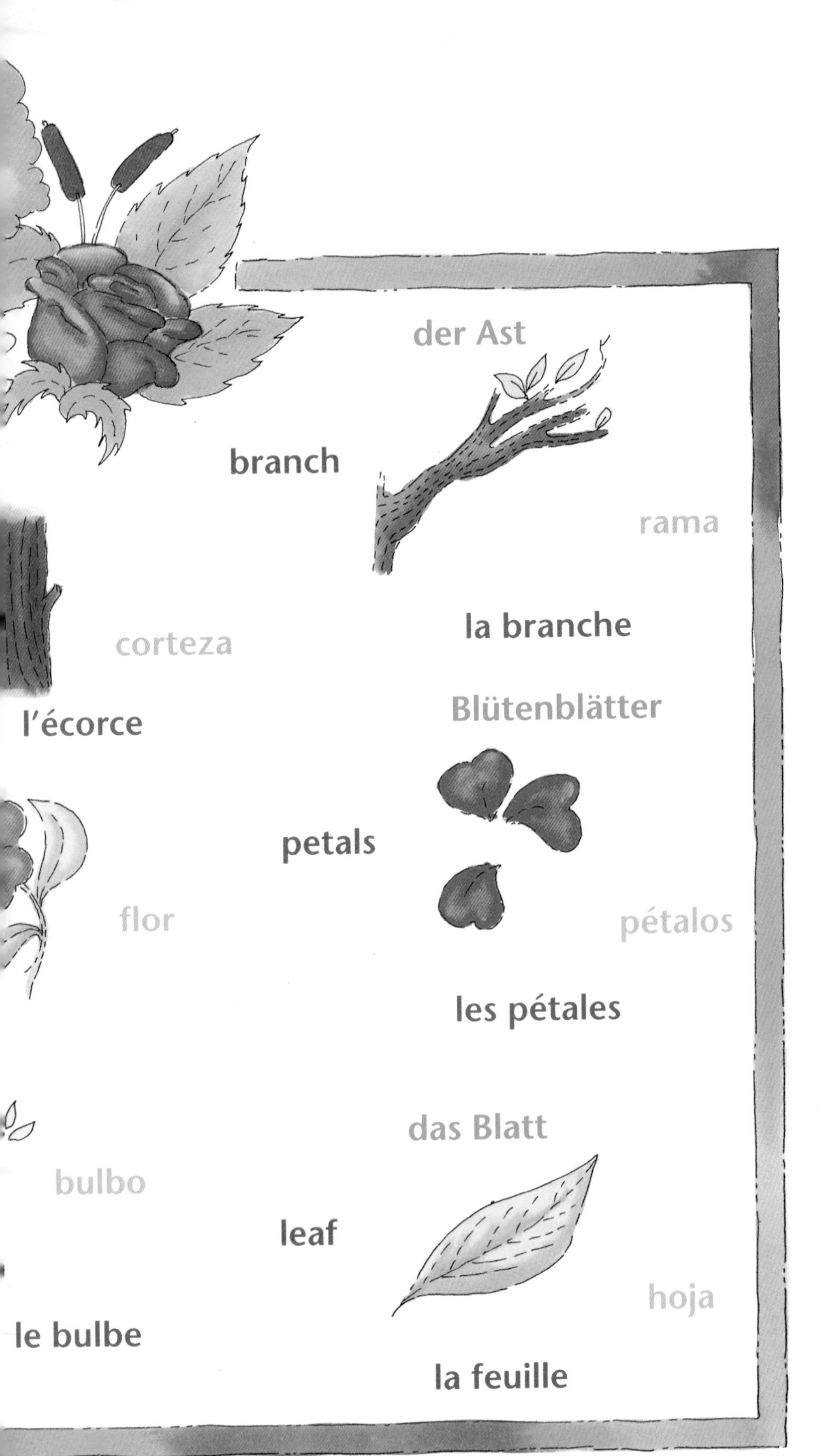

LAS PLANTAS
tronco
corteza
rama
raíces
flor
pétalos
fruto
bulbo
hoja

LES PLANTES
le tronc
l'écorce
la branche
les racines
la fleur
les pétales
le fruit
le bulbe
la feuille

DER
MENSCHLICHE
KÖRPER
das Gesicht
der Körper
innere Organe
beim Arzt

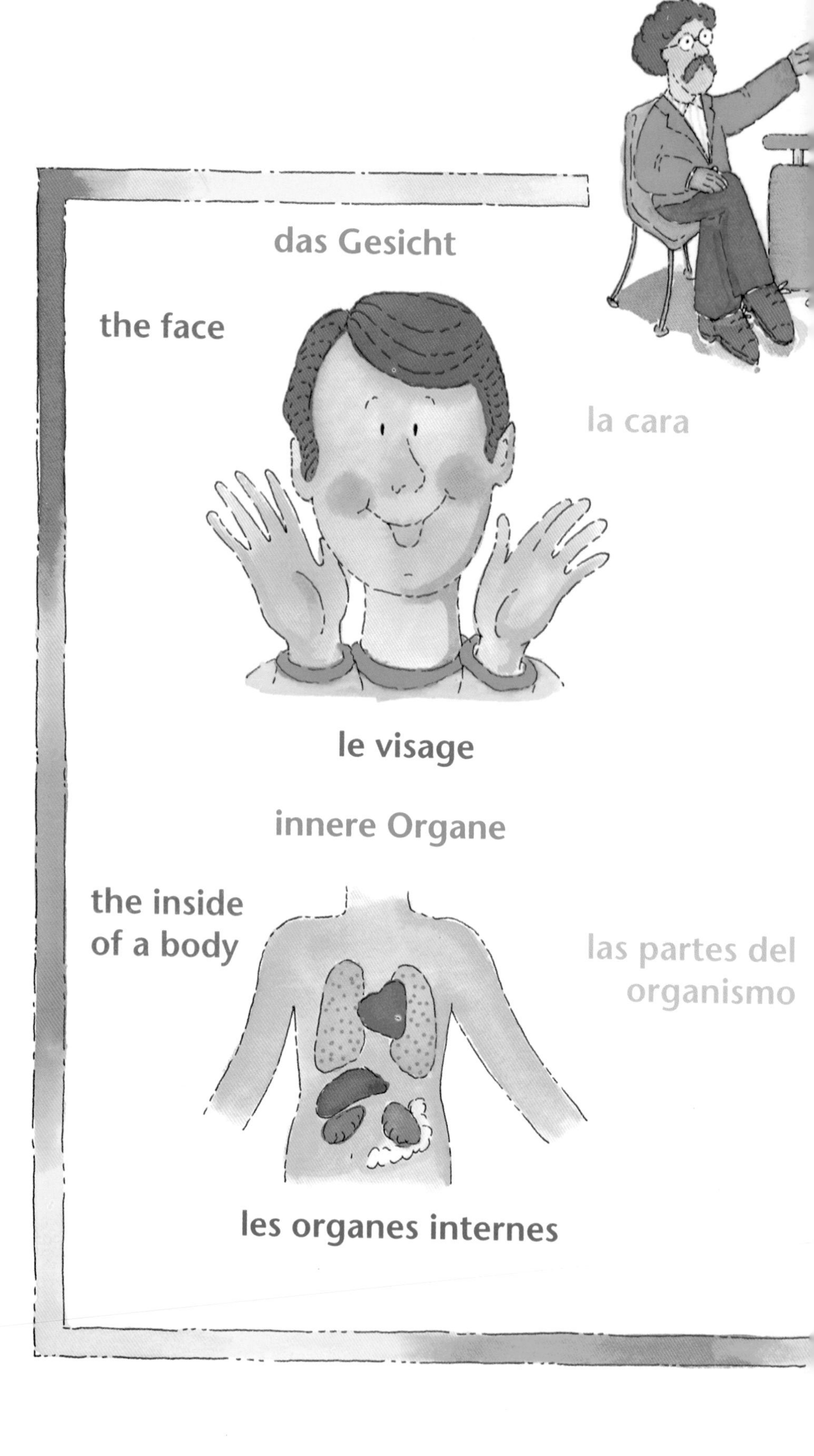

THE HUMAN
BODY
the face
the body
the inside of a
body
at the doctor's

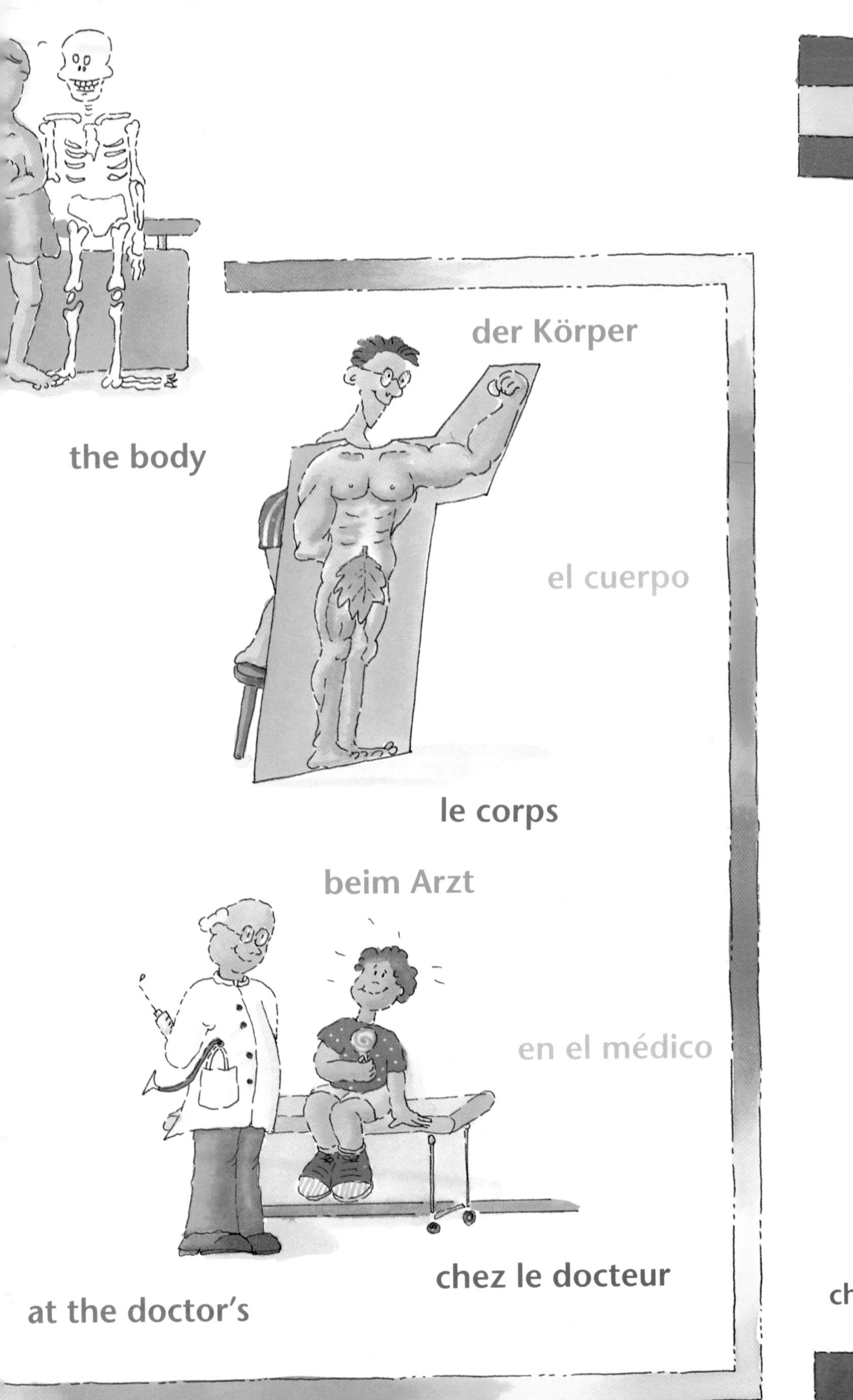

EL CUERPO HUMANO
la cara
el cuerpo
las partes del organismo
en el médico

LE CORPS HUMAIN
le visage
le corps
les organes internes
chez le docteur

DAS GESICHT
die Haare
Augen
die Nase
das Ohr
der Mund
Zähne
das Kinn
Wimpern
Augenbrauen

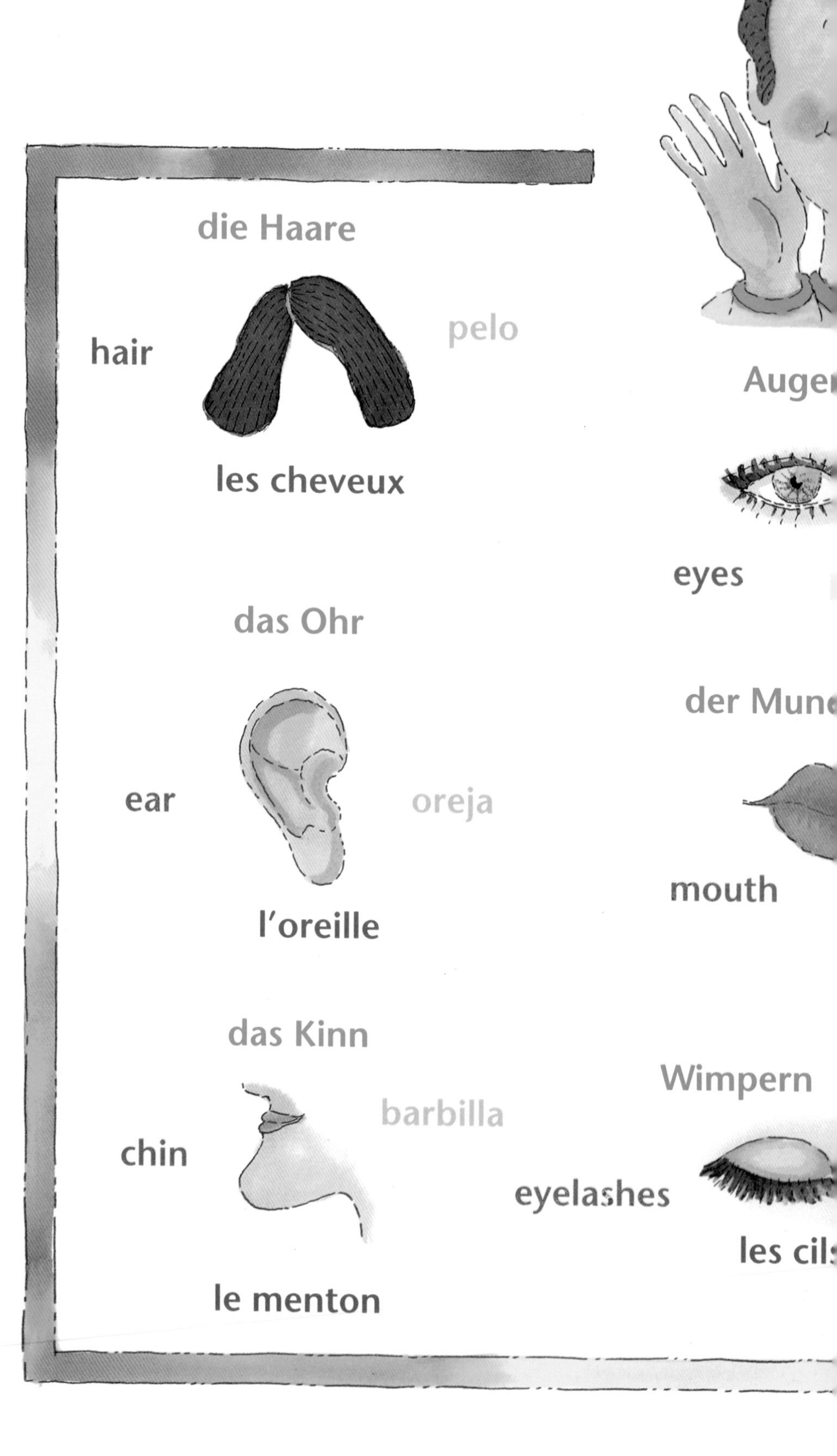

THE FACE
hair
eyes
nose
ear
mouth
teeth
chin
eyelashes
eyebrows

LA CARA
pelo
ojos
nariz
oreja
boca
dientes
barbilla
pestañas
cejas

die Nase

nose

ojos

nariz

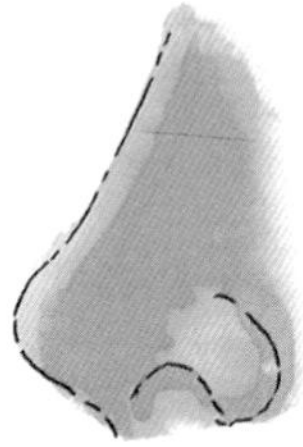

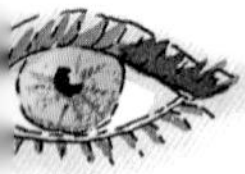

le nez

les yeux

Zähne

dientes

boca

teeth

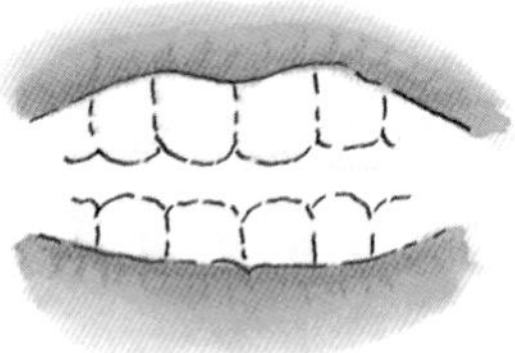

la bouche

les dents

Augenbrauen

pestañas

cejas

eyebrows

les sourcils

LE VISAGE
les cheveux
les yeux
le nez
l'oreille
la bouche
les dents
le menton
les cils
les sourcils

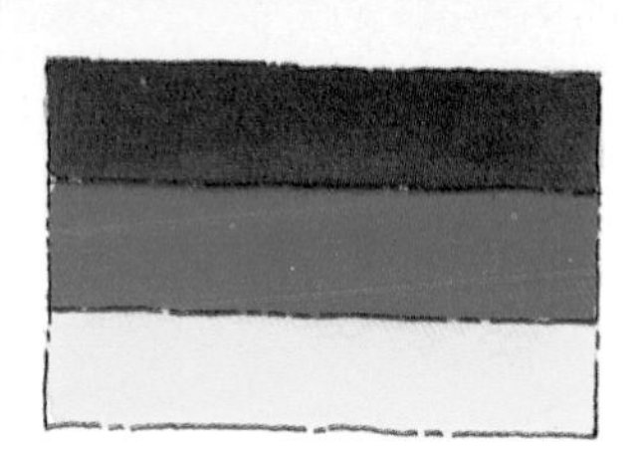

DER KÖRPER
der Kopf
der Hals
Schultern
der Arm
Beine
der Rücken
das Knie
die Hand
der Fuß

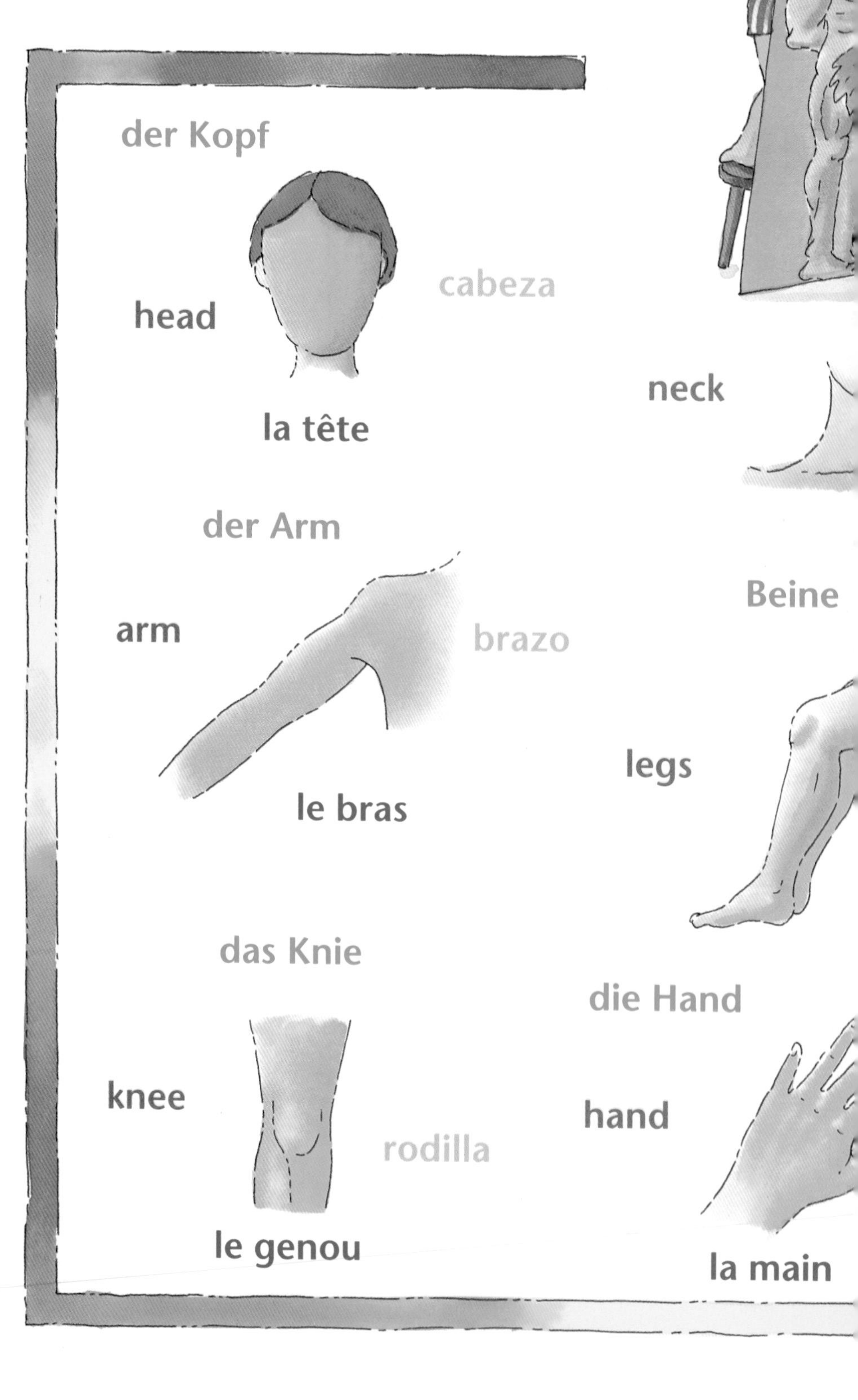

THE BODY
head
neck
shoulders
arm
legs
back
knee
hand
foot

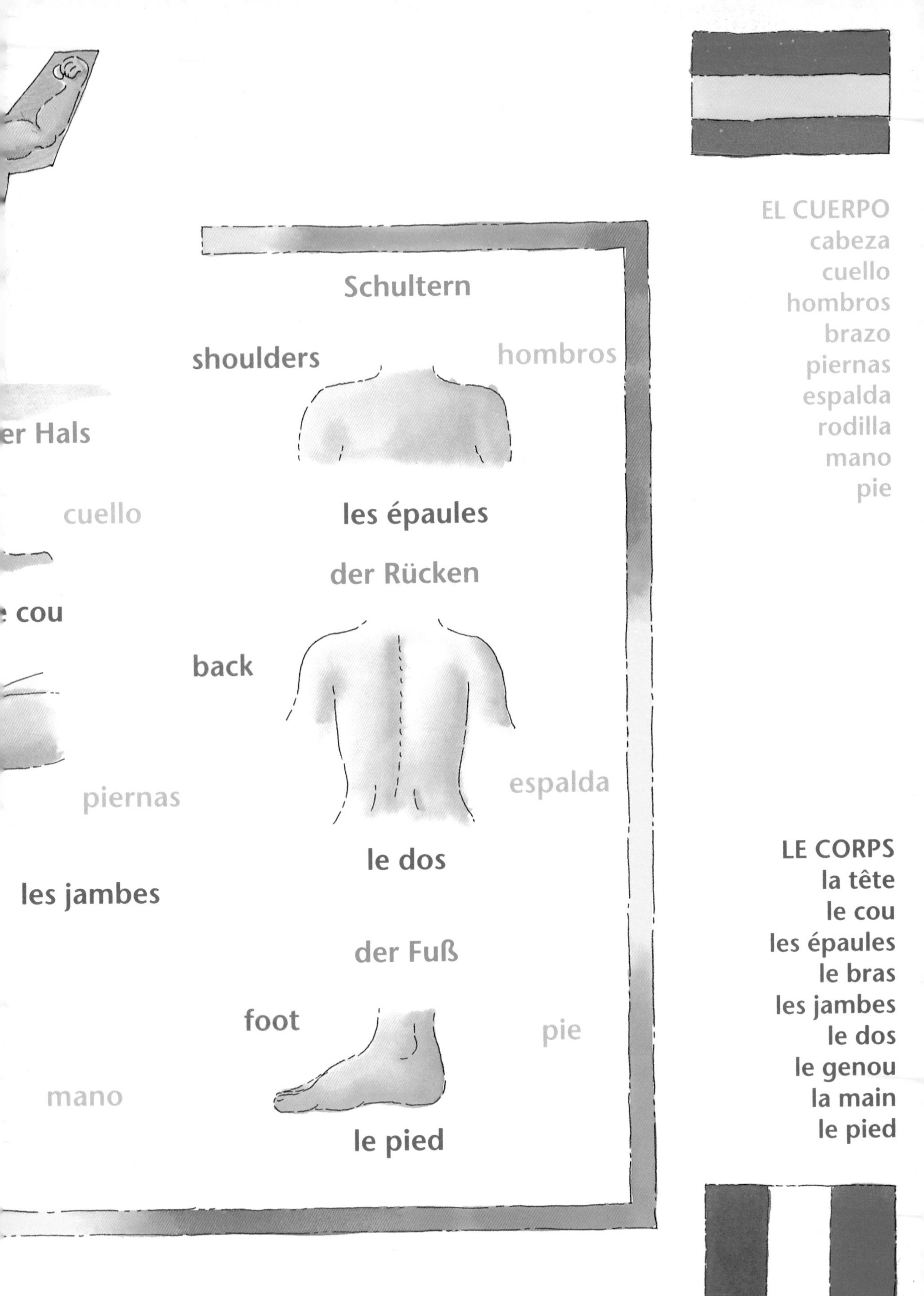
er Hals
cuello
cou
piernas
les jambes
mano
Schultern
shoulders
hombros
les épaules
der Rücken
back
espalda
le dos
der Fuß
foot
pie
le pied
EL CUERPO
cabeza
cuello
hombros
brazo
piernas
espalda
rodilla
mano
pie
LE CORPS
la tête
le cou
les épaules
le bras
les jambes
le dos
le genou
la main
le pied

INNERE ORGANE
das Herz
Lunge
das Gehirn
die Speiseröhre
der Magen
die Leber
Nieren
der Darm
die Bauchspeicheldrüse

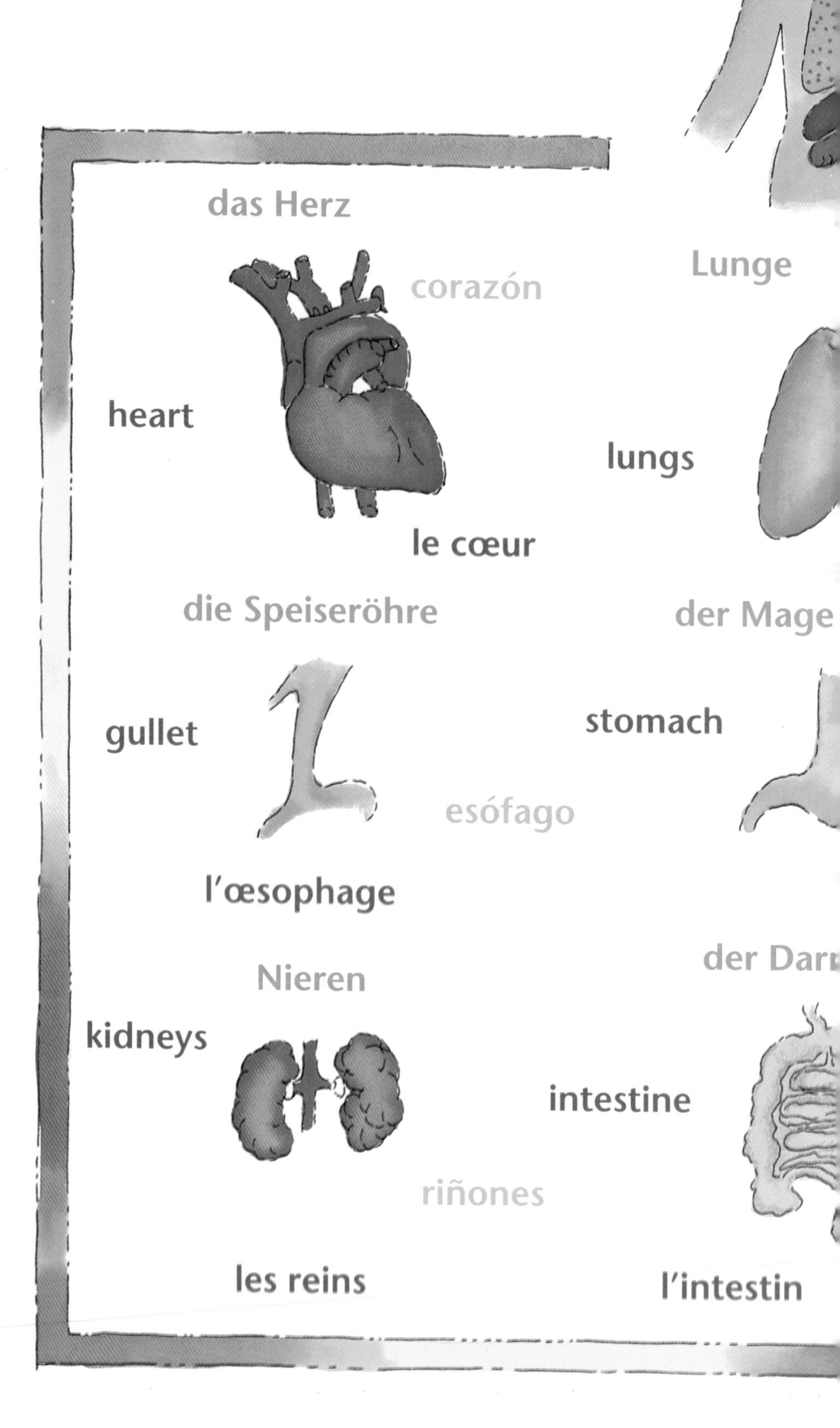

THE INSIDE OF A BODY
heart
lungs
brain
gullet
stomach
liver
kidneys
intestine
pancreas

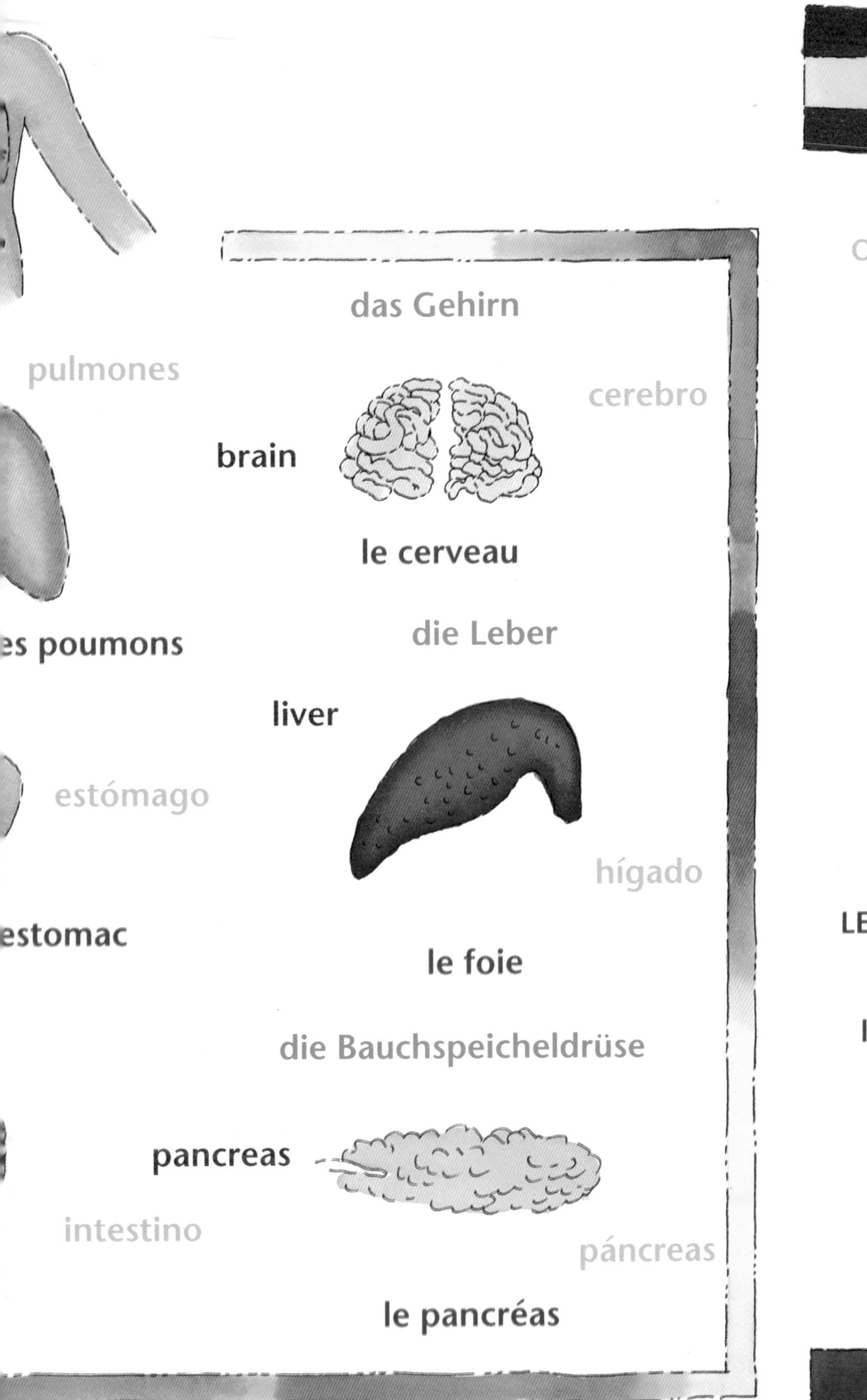

PARTES DEL ORGANISMO
corazón
pulmones
cerebro
esófago
estómago
hígado
riñones
intestino
páncreas

LES ORGANES INTERNES
le cœur
les poumons
le cerveau
l'œsophage
l'estomac
le foie
les reins
l'intestin
le pancréas

BEIM ARZT
der Verband
das Pflaster
die Spritze
das Fieber-
thermometer
der Arzt
der Sirup
Tabletten
das Stethoskop
die Kranken-
schwester

AT THE DOCTOR'S
gauze
plaster
syringe
thermometer
doctor
syrup
pills
stethoscope
nurse

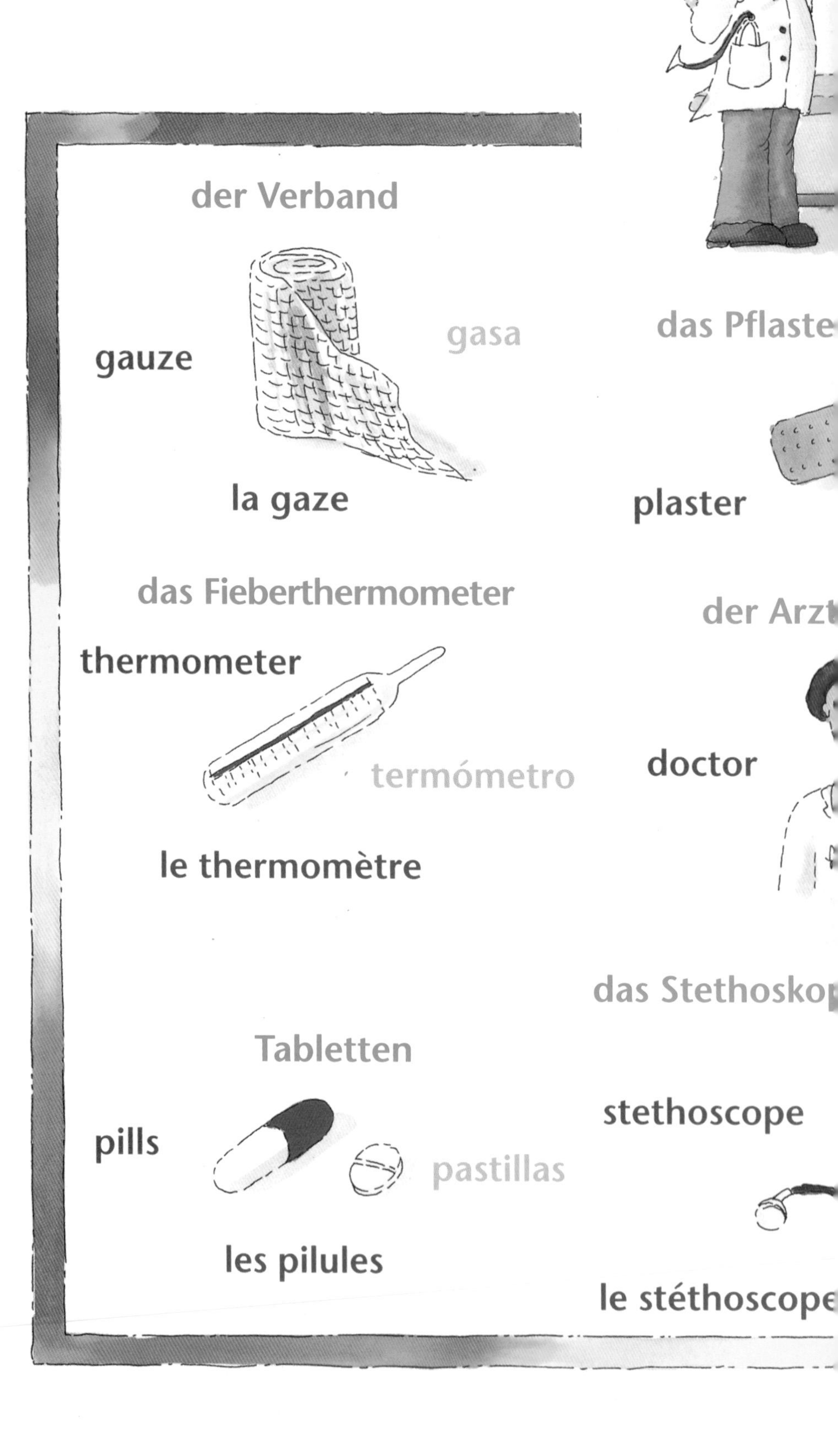

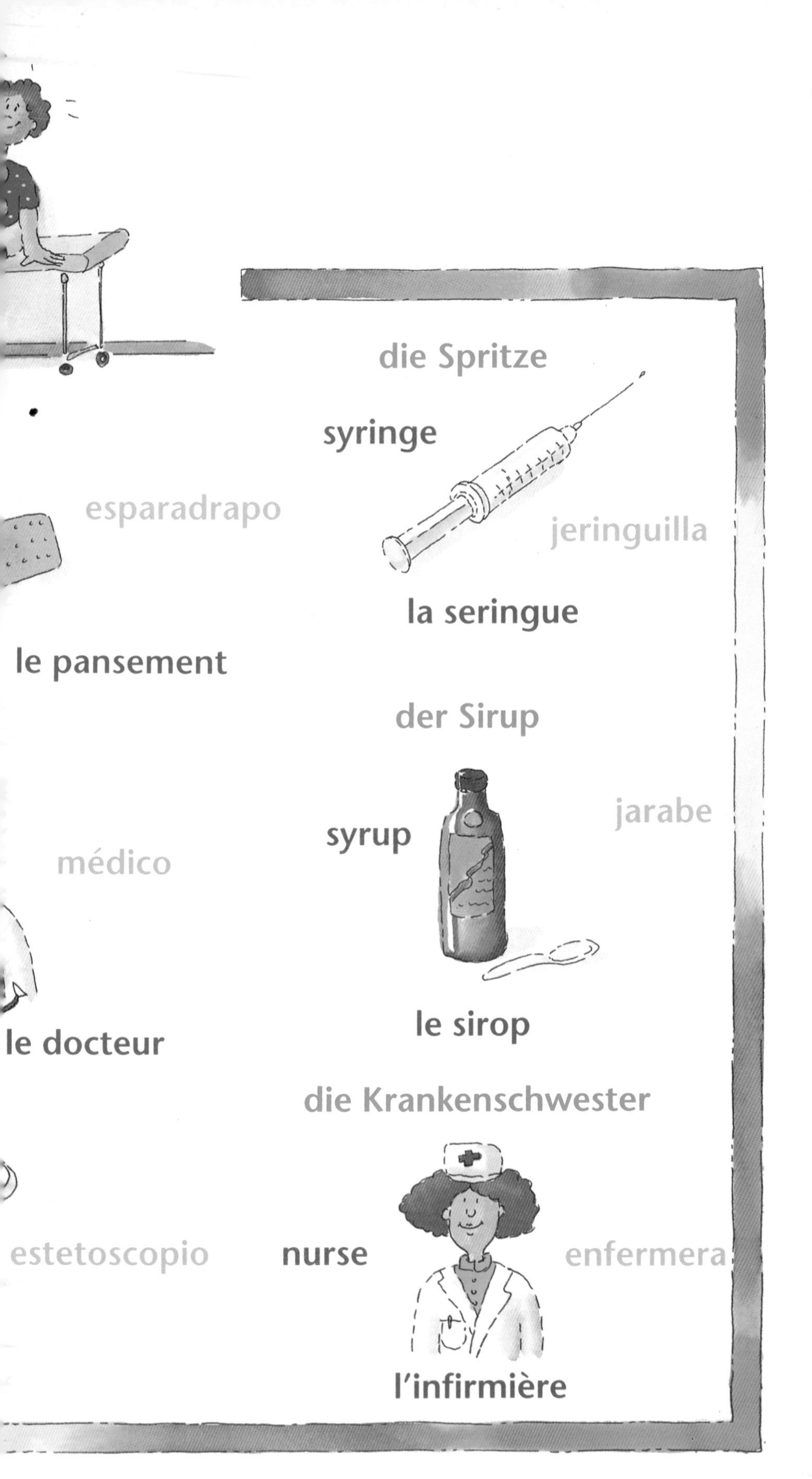

EN EL MEDICO
gasa
esparadrapo
jeringuilla
termómetro
médico
jarabe
pastillas
estetoscopio
enfermera

CHEZ LE DOCTEUR
la gaze
le pansement
la seringue
le thermomètre
le docteur
le sirop
les pilules
le stéthoscope
l'infirmière

DAS WELTALL UND DIE ERDE

das Sonnensystem
die Erde
die Jahreszeiten und das Wetter
Monate

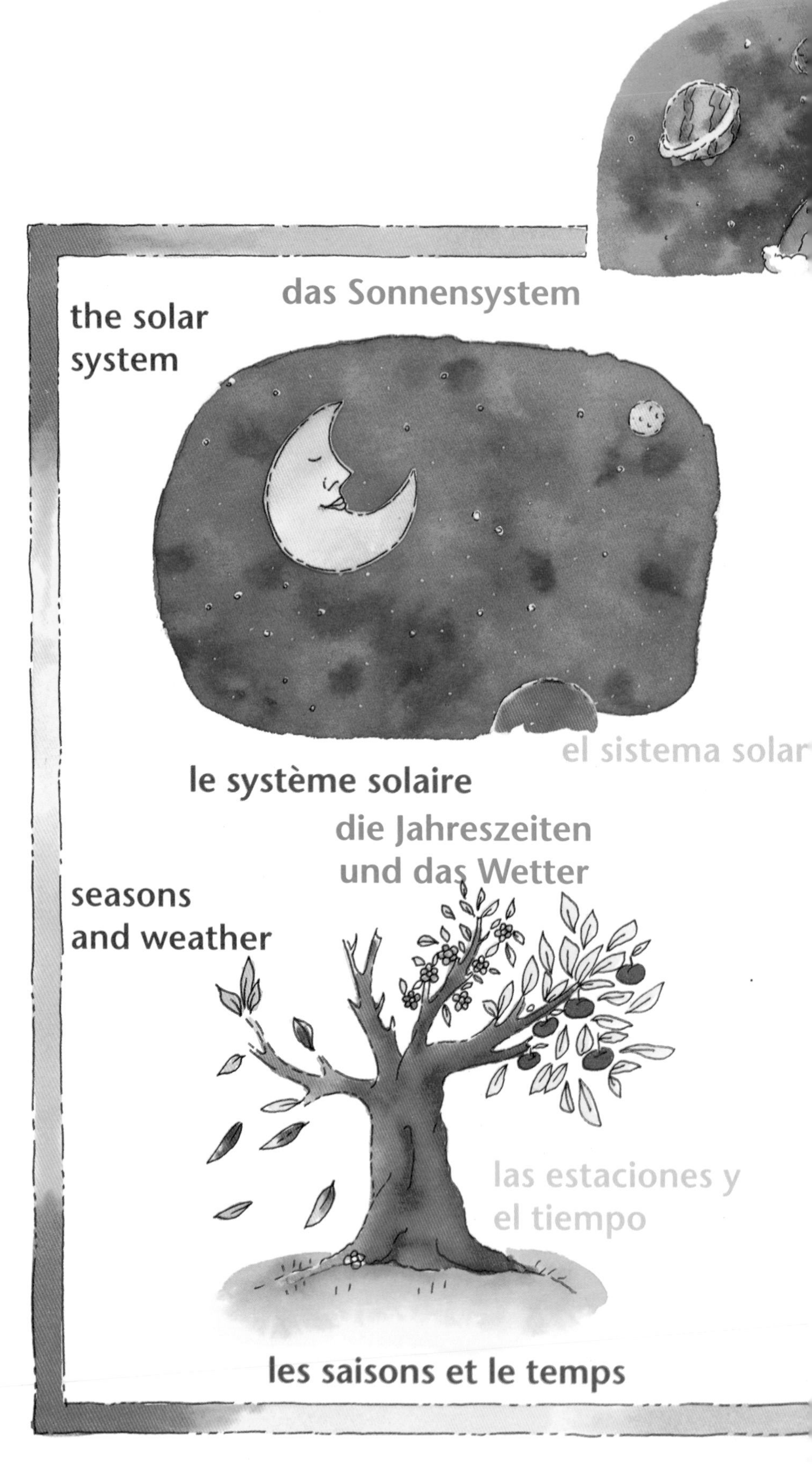

THE UNIVERSE AND THE EARTH

the solar system
the earth
seasons and weather
the months

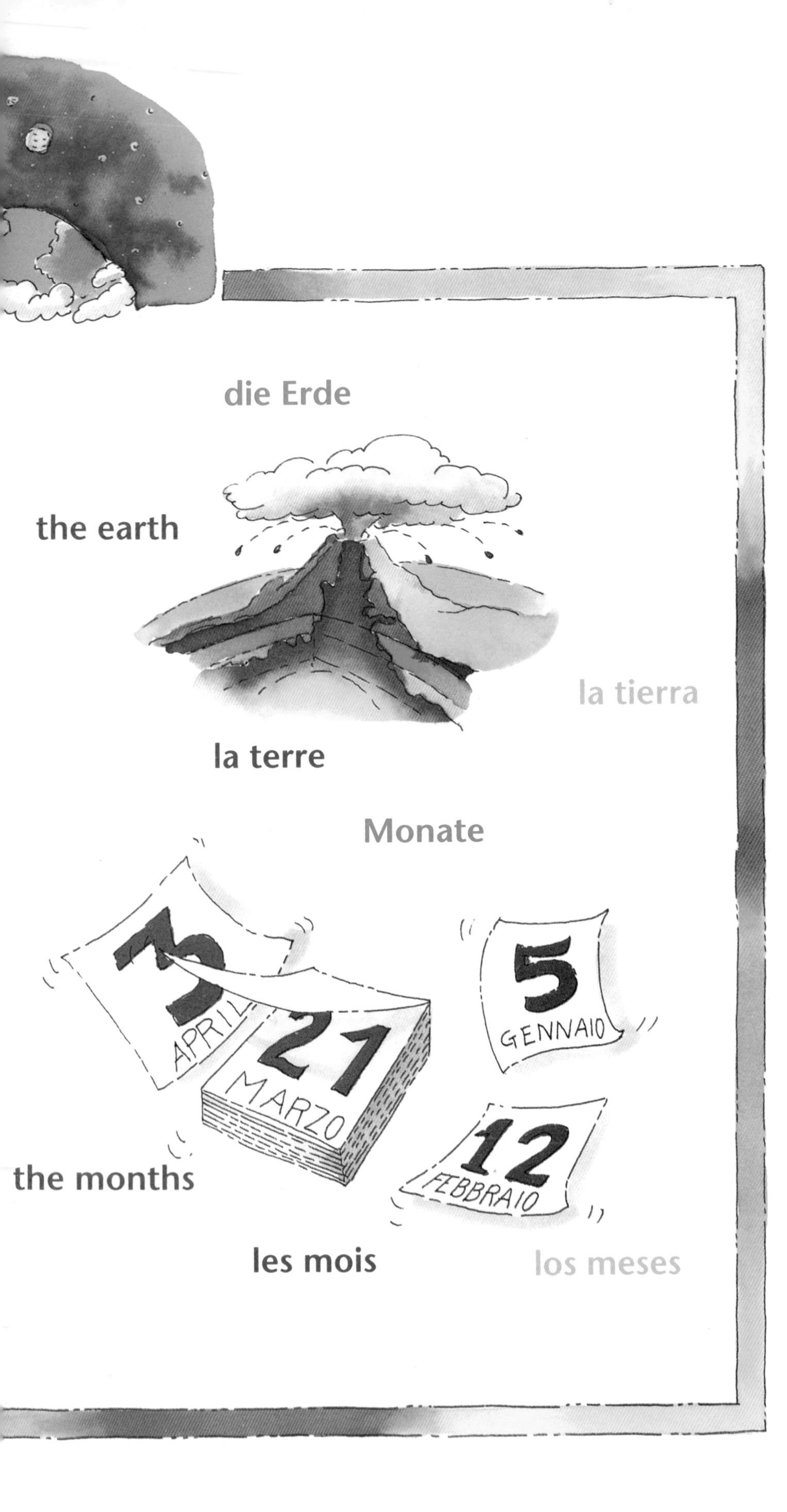

EL UNIVERSO Y LA TIERRA
el sistema solar
la tierra
las estaciones y el tiempo
los meses

L'UNIVERS ET LA TERRE
le système solaire
la terre
les saisons et le temps
les mois

DAS
SONNENSYSTEM
der Mond
die Sonne
Sterne
Planeten
das Sternbild
der Satellit
die Milchstraße
der Komet
der Meteorit

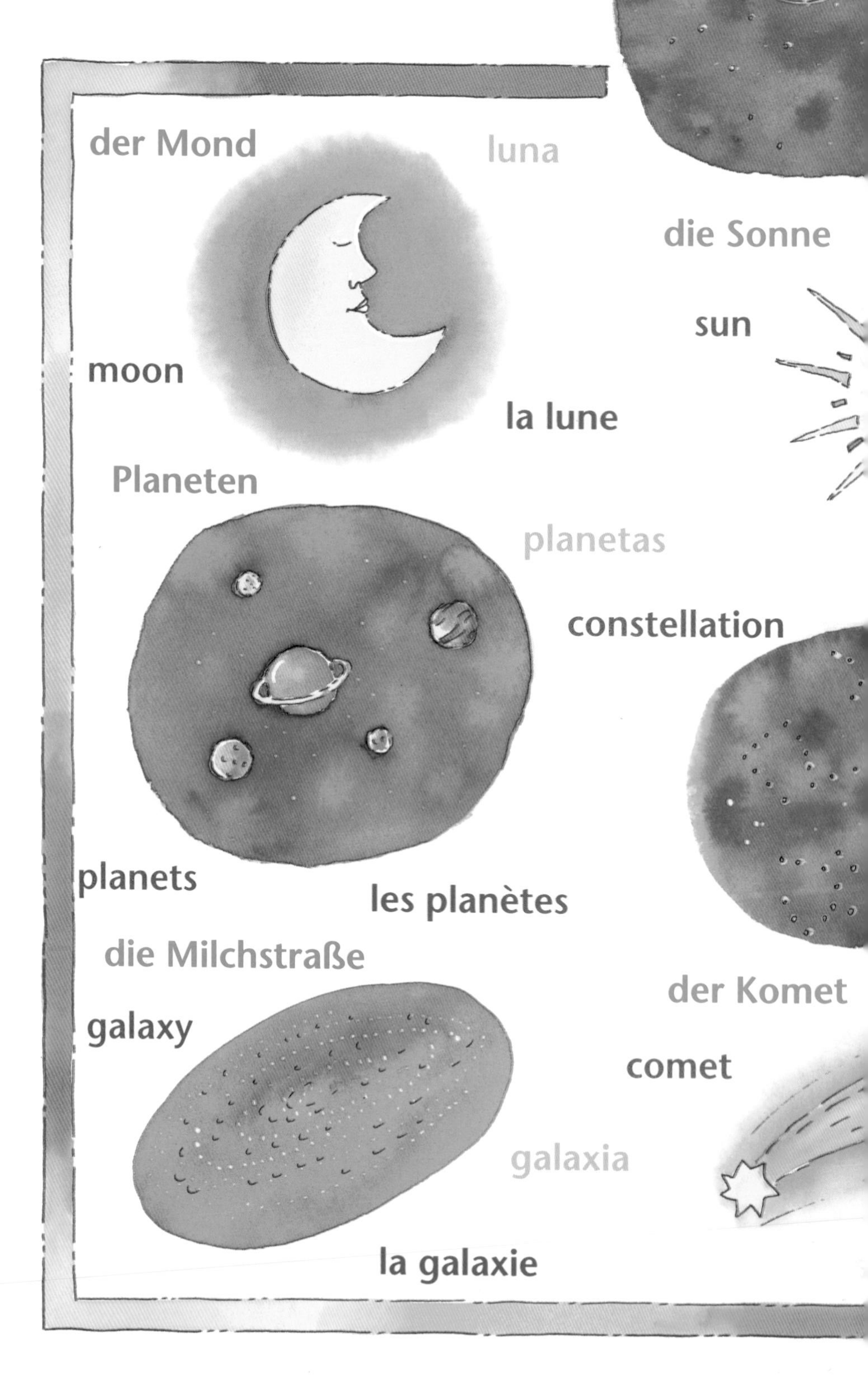

THE SOLAR
SYSTEM
moon
sun
stars
planets
constellation
satellite
galaxy
comet
meteorite

EL SISTEMA SOLAR
luna
sol
estrellas
planetas
constelación
satélite
galaxia
cometa
meteoro

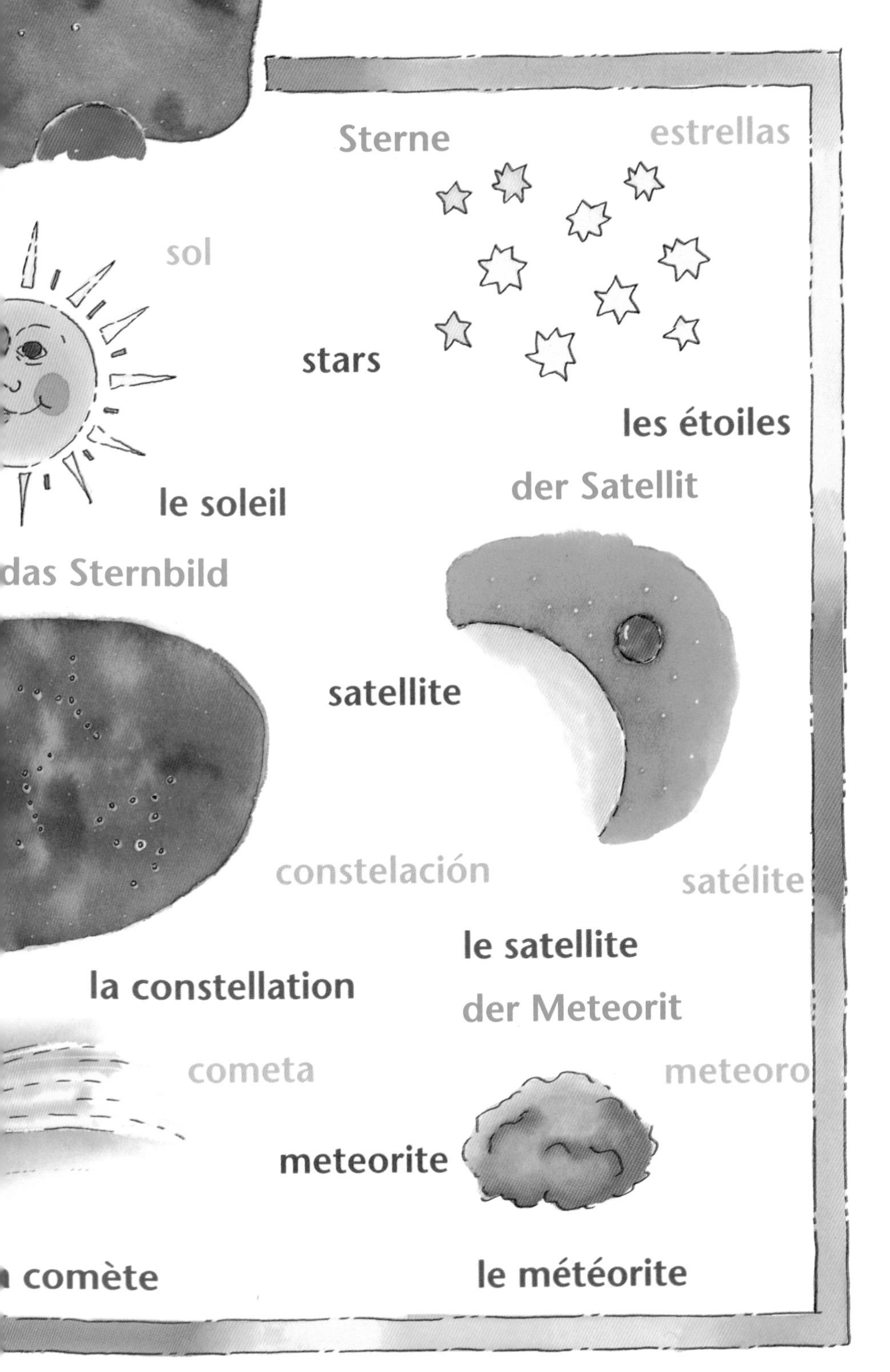

LE SYSTÈME SOLAIRE
la lune
le soleil
les étoiles
les planètes
la constellation
le satellite
la galaxie
la comète
le météorite

DIE ERDE
das Meer
Kontinente
Ozeane
die Insel
die Halbinsel
Erdpole
der See
der Fluß
der Vulkan

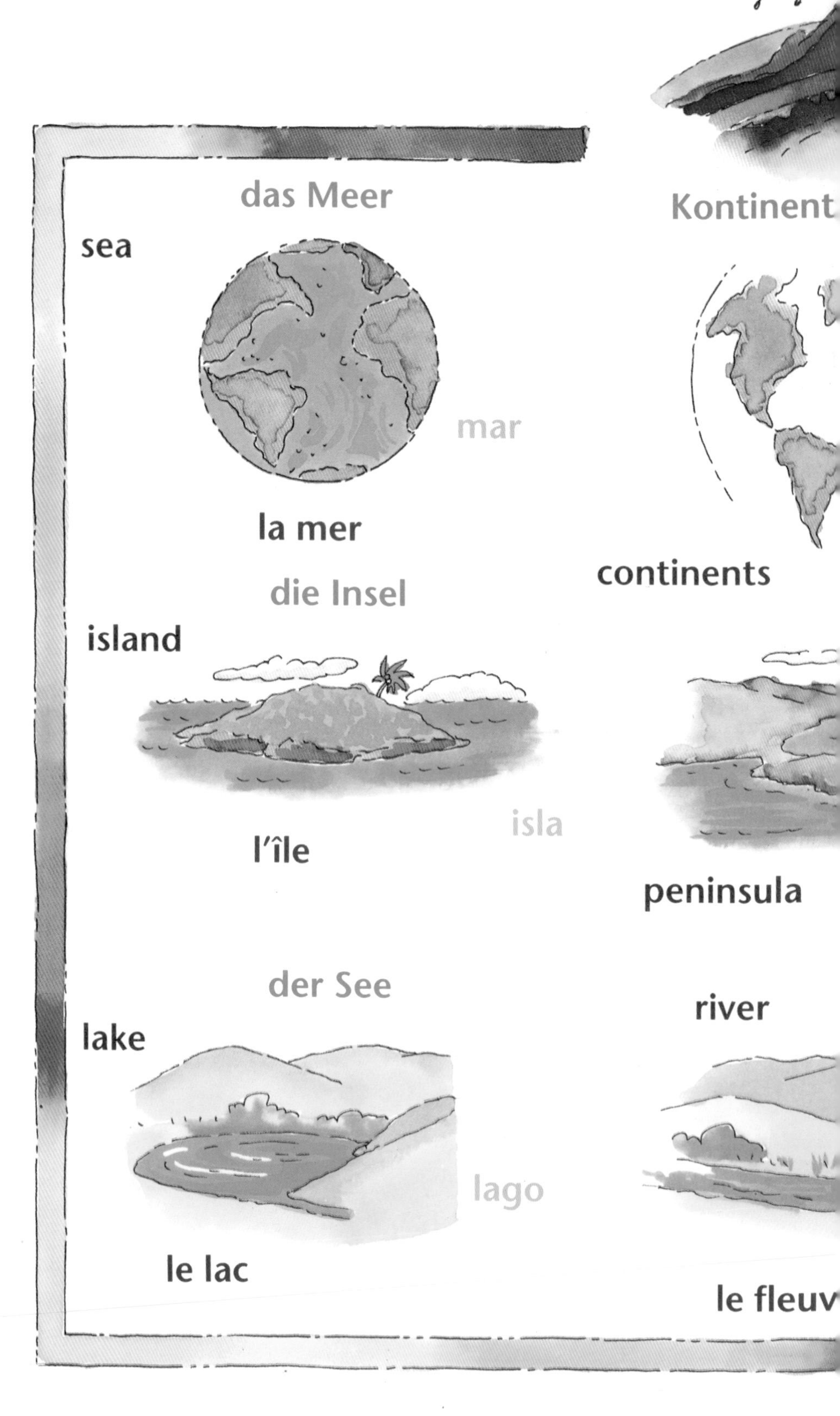

THE EARTH
sea
continents
oceans
island
peninsula
poles
lake
river
volcano

LA TIERRA
mar
continentes
océanos
isla
península
polos
lago
río
volcán

LA TERRE
la mer
les continents
les océans
l'île
la presqu'île
les pôles
le lac
le fleuve
le volcan

DIE JAHRESZEITEN UND DAS WETTER

der Winter
der Frühling
der Sommer
der Herbst
der Schnee
der Wind
der Regen
der Hagel
der Sonnenschein
das Gewitter
Wolken
der Nebel

SEASONS AND WEATHER

winter
spring
summer
autumn
snow
wind
rain
hail
sunshine
storm
clouds
fog

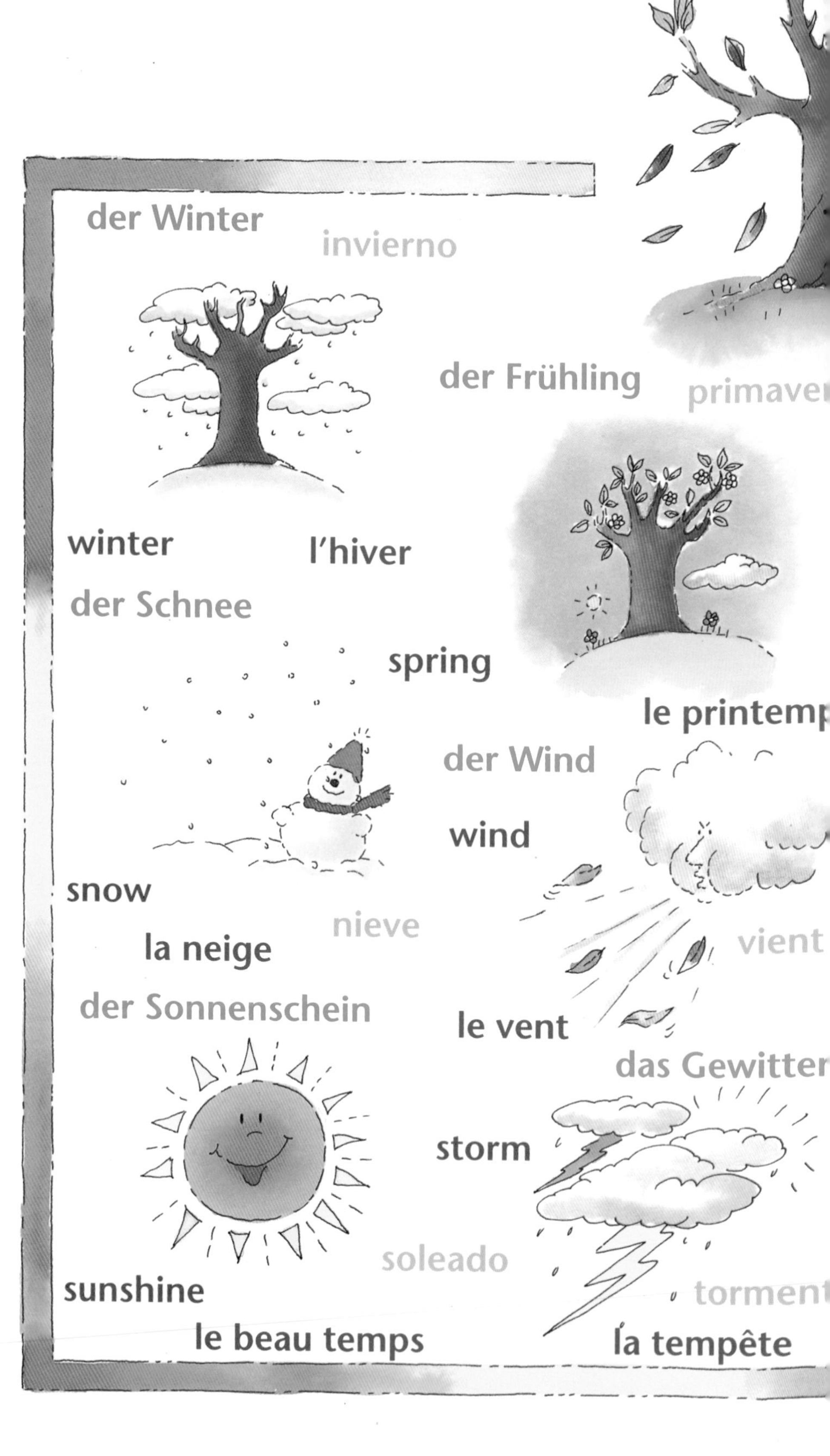

LAS ESTACIONES Y EL TIEMPO

invierno
primavera
verano
otoño
nieve
viento
lluvia
granizo
soleado
tormenta
nubes
niebla

LES SAISONS ET LE TEMPS

l'hiver
le printemps
l'été
l'automne
la neige
le vent
la pluie
la grêle
le beau temps
la tempête
les nuages
le brouillard

DIE MONATE
Januar
Februar
März
April
Mai
Juni
Juli
August
September
Oktober
November
Dezember

THE MONTHS
January
February
March
April
May
June
July
August
September
October
November
December

LOS MESES
enero
febrero
marzo
abril
mayo
junio
julio
agosto
septiembre
octubre
noviembre
diciembre

LES MOIS
Janvier
Février
Mars
Avril
Mai
Juin
Juillet
Août
Septembre
Octobre
Novembre
Décembre

Mit meinem Computer habe ich entdeckt, daß ich mit Freunden sprechen kann, die in anderen Ländern auf der ganzen Welt wohnen.
Die Bilder (1) des Hauptfensters (2) zeigen mir den Weg an, um alle Dinge (3) ganz genau kennenzulernen.

I have learnt to speak to other people from different countries in the world by using my computer.
My computer also allows me to see everything in greater detail.
You can see that on the screen (1), window 3 is an enlargement of window 2.